À Pamela Popo.
D. L.

À la grande famille des canidés.
M. N.

Collection dirigée par Emmanuelle Beulque

© 2015, Éditions Sarbacane, Paris

www.editions-sarbacane.com
facebook.com/fanpage.editions.sarbacane

Didier
Lévy

Marie
Novion

La VÉRITABLE HiSTOiRE
du GRAND MÉCHANT
MORDiCUS

Sarbacane

Félix entre dans la forêt.

Il marche d'un pas décidé entre les arbres.

Les rayons du soleil jouent avec ses cheveux;

les parfums de la terre chatouillent ses narines.

—Où vas-tu ainsi, mon garçon? demande le merle.

—Je cherche Mordicus, répond Félix avec une petite voix.

—Tu cherches les ennuis surtout, l'avertit l'oiseau.

Mais si c'est ce que tu veux, continue ta route:

là où la forêt est la plus profonde,

là où elle fait le plus peur,

tu trouveras Mordicus.

Félix s'efforce d'ignorer les paroles du merle
et poursuit son chemin. La forêt s'épaissit,
les branches des arbres se tordent
comme des bras de sorcière,
la lumière peine à arriver jusqu'au sol.
_ Où vas-tu ainsi, mon bonhomme ?
demande maintenant le hérisson.
_ Je cherche Mordicus, répète Félix.
_ C'est la dernière chose que tu risques de trouver,
prévient la boule de piquants. Mais si c'est ton choix,
va là où la forêt est encore plus profonde,
là où elle fait encore plus peur,
et le grand méchant Mordicus,
tu rencontreras.

Le cœur battant, Félix poursuit son chemin,
et là où la forêt est la plus profonde,
là où elle fait le plus peur,
brillent deux immenses yeux jaunes.
- Je cherche Mordicus, dit une nouvelle fois
Félix, la gorge serrée.
- Ne cherche plus, répond une grosse voix
caverneuse.

D'un geste vif, le loup Mordicus attrape
le visiteur par la peau du cou et s'apprête
à l'avaler quand Félix crie:
- MELBA !

Comme par enchantement, Mordicus s'arrête.
- Melba, répète Félix les yeux fermés,
tremblant de tous ses membres.

– Tu connais ma fille, toi ? grogne le loup méfiant.
Félix hoche vivement la tête.
– Dis-moi un peu ce que tu sais d'elle.
Mordicus s'assoit sur un tronc, le petit Félix
toujours prisonnier de sa grosse paluche.
– C'était votre fille unique.

-Je sais bien qu'elle était unique, râle Mordicus,
c'est tout ce que tu as à dire ?
Félix récite alors les phrases qu'il a mille fois répétées
dans sa tête avant de venir :
-Vous...vous auriez préféré un garçon, bredouille-t-il,
un grand méchant loup comme vous, votre père,
votre grand-père et tous ceux qui vous ont précédé
depuis la nuit des temps.
Mais cette petite Melba, vous l'adoriez,
elle était votre joie de vivre.

Mordicus sourit, sa grosse caboche
bourdonnant de souvenirs.
- Parle-moi encore de mon unique.
- Une fois grande, Melba est tombée amoureuse
de Caruso...
- Ce misérable ! peste le loup.
- Ce jour-là, continue Félix, vous avez hurlé :
« Ma fille avec un renard, jamais de la vie !
Je t'interdis de le revoir, tu m'entends ?! »

Melba vous a entendu mais elle ne vous a pas écouté.
Elle est partie avec Caruso et vous ne l'avez
jamais revue.

Le grand méchant Mordicus lance un regard sombre,
presque triste, au petit Félix :
- Tu dois être envoyé par le diable pour savoir tout ça, toi !
- Personne ne m'envoie! affirme Félix avec force.
Mordicus attrape un bâton en forme de canne.
- Il faut que je me dégourdisse un peu les pattes,
dit-il l'air pensif, en reposant enfin Félix par terre.
Mordicus se lève : un peu bossu, un peu mité,
c'est maintenant un vieux grand méchant loup,
plus si terrible que ça.

-Puisque tu as l'air de tout savoir, petit diable, raconte-moi la suite, demande Mordicus.
Félix marche à côté du loup, et poursuit son récit :
- Melba et Caruso ont eu un fils, un enfant de l'amour, un peu renard, un peu loup.

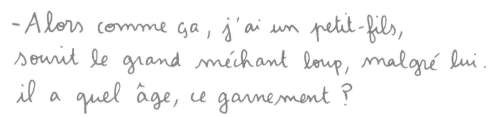

-Alors comme ça, j'ai un petit-fils,
sourit le grand méchant loup, malgré lui.
il a quel âge, ce garnement ?
-Oh, c'est un adulte maintenant.
-Déjà ?! De toute façon, je m'en fiche pas mal,
bougonne le loup.

Les rayons du soleil se faufilent entre les branches;
un oiseau, puis deux, puis trois se mettent à chanter.
Le grand Mordicus s'arrête, ses yeux brillent à nouveau
d'un éclat maléfique:

- Alors, petit diable, qui es-tu à la fin pour savoir tout ça?
Réponds-vite ou je te broie les os!
Félix respire un grand coup et déclare:
- Un peu ours par ma mère, un peu loup et un peu renard
par mon père, je suis le fils du fils de votre fille.
Et vous, vous êtes mon arrière-grand-père.
Mordicus en reste baba.
Complètement baba, incapable du moindre geste.

Félix sourit, puis glisse sa petite main dans celle
de son arrière-grand-père, qui se laisse entraîner.
Ils sortent de la forêt sous le regard stupéfait
du merle et du hérisson.
Félix guidant un Mordicus toujours hébété,
ils traversent une clairière, une rivière,
un champ de coquelicots, et les voilà bientôt
devant une maison d'où l'on perçoit de la musique.

–Entre, l'encourage Félix. Il n'y a pas de piège.
Mordicus pousse la porte.
À l'intérieur, une fête bat son plein, avec
un gros gâteau plein de bougies sur la table
et du monde un peu partout.

Les regards se tournent vers les nouveaux venus.
Et le silence se fait.
-PAPA ?! s'écrie soudain une voix vibrante d'émotion.
Quelqu'un bouge derrière la table, et Melba vient
accueillir son père.
Elle lui tend une part de gâteau.
- Ce n'est pas mon anniversaire, dit le loup, tout chose.
- Non, c'est le mien, répond Melba.

Elle sourit à ce coquin de Félix, puis regarde Mordicus.
-Et te voir là aujourd'hui parmi nous après toutes
ces années, est un bien beau cadeau.
Le grand loup se sent un peu idiot.
Des larmes lui montent aux yeux.
Alors il prend Mebba dans ses bras et comme
il a encore des grands bras de grand méchant loup,
il serre aussi contre lui Félix, ses frères, ses cousins,
ses oncles, et même Caruso.
Félix s'écarte discrètement : toutes ces émotions
lui ont donné faim.
Et tandis que la famille au complet se retrouve
enfin, le tout petit Félix va s'offrir une grande
méchante part de gâteau !